Erinnerungen an

Die Schweiz

Souvenir de

La Suisse

Memories of

Switzerland

Reich Verlag

terra magica

Titelbild
Die kühne Felspyramide des Matterhorns (4478 m) ist der monumentalste Berg der Schweizer Alpen. Er wurde am 14. Juli 1865 von der Seilschaft Edward Whymper erstmals bestiegen. Erfolg und Tragödie dieser Seilschaft machten das Matterhorn weltberühmt. Es gehört heute zu den meistbestiegenen Gipfeln.

Page de couverture
L'imposante pyramide rocheuse du Cervin (4478 m) constitue la montagne la plus monumentale des Alpes suisses. Le sommet fut conquis le 14 juillet 1865 par une cordée menée par Edward Whymper. Le succès et les revers que connut cette cordée valurent au Cervin une célébrité mondiale. Il compte parmi les sommets les plus fréquemment gravis.

Cover Page
The bold rock pyramid of the Matterhorn (4,478 metres) is the most monumental mountain in the Swiss Alps. It was climbed for the first time by Edward Whymper and his party on 14 July 1865. The success and the tragedy of this rope team made the Matterhorn world famous. Today it is one of the most climbed peaks.

Photo: Hans Huber

Version française par Daniel Robein

English translation by Elizabeth Benies

Copyright © 1980 by Reich Verlag AG, Luzern
Alle Rechte vorbehalten

Gedruckt 1980 bei der Süddeutschen Verlagsanstalt,
Ludwigsburg

ISBN 3-7243-0189-8

ERINNERUNGEN AN DIE SCHWEIZ

Von Alois Anklin

Klein ist dies im Herzen Europas gelegene Land, aber in seinem beschränkten Raum faßt es gleichsam alle Schönheit der Erde zusammen. Wer von der Tiefebene Basels her über Luzern und Gotthard die Schweiz durchreist, dem bietet sie sich in einem entzückenden Querschnitt dar. Von den waldbedeckten, langgestreckten Höhenzügen des Juras gelangt er, zu Fuß, auf der Schiene oder auf der Autobahn ins anmutige, fruchtbare Mittelland. Und damit ihn die schreckhafte Wildheit des Hochgebirges nicht unversehens überfalle, geleitet ihn die bewegte, seenreiche Voralpenlandschaft behutsam in den Bereich der schneebedeckten Gipfel. Jenseits des Gotthards aber erlebt er in umgekehrter Folge alle Stufungen der Landschaft vom unwirtlichen Hochtal bis zum paradiesischen Garten des südlichen Tessins.

Was sich in diesem nur 41 000 km² großen Land findet, haben andere Länder zwar auch. Es gibt Länder mit höheren Bergen, mit mehr und größeren Seen, mit kälterem und heißerem Klima. Die einzelnen Elemente, die die Schweiz zur Schweiz machen, gibt es zwar nicht überall, aber es gibt sie auch. Was die Schweiz jedoch auszeichnet, ist die Vereinigung all dieser Elemente und Gegensätze auf kleinem Raum. Berge und Seen, Höhen und Tiefen, Wildes und Mildes, Heißes und Kaltes sind nahe zusammengerückt. Der ewige Schnee auf den 16 Viertausendern der Schweiz grüßt Frühling, Sommer und Herbst im Tal. In drei Stunden ist diese Schweiz von Norden oder Süden zu durchfahren. In nur anderthalb Stunden ist von der Innerschweiz die Landesgrenze fast überall zu erreichen. Alles liegt hier in der Reichweite einer Tagesreise: die Palmen des Tessins, die Schneegipfel von Eiger, Mönch und Jungfrau, die saftigen Matten des Mittellandes, die steilen Rebhänge des Wallis und die stille Parklandschaft der Freiberge.

So ist das Land wohl in einigen Stunden zu durchfahren, aber nicht zu erleben. Die Schönheiten der Natur drängen sich in verwirrender Fülle. Keines der tausend Täler ist dem anderen gleich: es gibt da gewaltige und langgestreck-

te wie das Rhein- und Rhonetal; es gibt gletschererfüllte, lawinenzerfurchte, es gibt belebte und einsame, wilde und verträumte. Und da sind die vielgestaltigen Seen: bald breiten sie sich behäbig aus wie Boden- und Genfersee, bald zwängen sie sich ungestüm in die Berge hinein wie der Vierwaldstätter-, der Brienzer- und der Walensee. Oder sie dringen weit ins belebte Mittelland vor wie der Zürcher- und der Neuenburgersee. Es gibt Seen mit Steil- und mit Flachufern, einsame Bergseen und ringsum besiedelte. Wie reich orchestriert rinnt, rieselt, stürzt, rauscht, schäumt und strömt das Wasser zu Tal, bis es in Rhein und Rhone, Inn und Tessin nach allen vier Windrichtungen dem Weltmeer zustrebt. Doch alles ist nach Menschenmaß, nach dem Maßstab des Menschen geschaffen. Keine Achttausender, Monte Rosa und Matterhorn mit ihren 4634 und 4478 Metern genügen uns. Keine Millionenstädte, die größte Stadt, Zürich, zählt keine 400 000 Einwohner; die Agglomeration allerdings 700 000. Keiner der anderen Kantonshauptorte bringt es auf 200 000. Die übrigen 3000 Gemeinden der Schweiz geben sich noch viel bescheidener. Einzig mit dem eben erst eröffneten St. Gotthard-Straßentunnel kann sich die Schweiz eines Superlatives rühmen: er ist mit seinen 16,2 km der längste Straßentunnel der Welt.

Zu allen Jahreszeiten hat die Schweiz ihren Reiz. Wenn in den Bergen noch die Winterstürme toben, erblühen in Lugano schon die Magnolien, und wenn über dem Mittelland schon sommerliche Hitze lastet, erleben die Alpen ihren Frühling, Krokus und Soldanellen brechen durch schwindende Schneezungen, und die Sennen steigen mit ihrem Vieh in buntem Alpaufzug auf die hochgelegenen Weiden. Klare Fernsicht in die Berge, Weinlese und Winzerfeste in der Westschweiz und golden erglühende Wälder sind die besonderen Gaben der herbstlichen Schweiz. Im Winter schließlich bieten sich Jura, Voralpen und Alpen als riesiges Skigelände dar. Aus den lagernden Nebeln der Tiefe steigen Ungezählte in diese Höhen, um hier die volle Wintersonne und die reine frische Luft zu genießen.

Ein dichtes Netz von Bahnen und Straßen und Postkursen breitet sich über das ganze Land aus und erschließt auch das fernste Tal. Wer des Steigens und Kletterns ungewohnt ist, den führen Berg- und Seilbahnen auf die berühmtesten Gipfel. Von den Häusern bescheidenen Komforts bis zu den modernsten Hotels der großen Fremden- und Kurorte finden sich alle Stufen einer kultivierten Pflege der Gastlichkeit.

Das Reiseland Schweiz hat eine lange Vorgeschichte. Seit Jahrhunderten war es Durchgangsland vom Norden zum Süden und vom Süden zum Norden. Doch es waren nicht Touristen, die reisten, sondern Heere und Handelsleute. Über den Großen St. Bernhard, über Bernardino, Splügen, Septimer und Julier zogen schon die Römer. Im Mittelalter überquerten Heere und Handelskarawanen Simplon, Gotthard und Lukmanier. Von der Schönheit der Berge sangen sie nicht. Der Schrecken der Alpenüberquerung saß ihnen noch im Genick. Seit aber Albrecht von Haller 1732 in seinen «Alpen» mehr die Älpler als die Berge besungen hatte und Goethe, Dichter, Schriftsteller, Zeichner und Maler auf dem Weg nach dem Süden die Alpen durchwandert hatten, wichen allmählich Staunen und Schrecken. Aber in den zeitgenössischen Zeichnungen und Gemälden sind sie noch spürbar. Die Berge sind überhöht. Noch immer wirkt die Alpenwelt drohend, abweisend, unheilvoll. Sie ist mehr mit den übersteigernden Augen des Geistes als mit den Augen der Wirklichkeit gesehen.

Doch nachdem man erst bloß den Anblick und das Erlebnis der Berge gepriesen hatte, erstieg man sie auch. Unter der Führung der Briten begann im Sommer die Gipfelstürmerei, die bis heute anhält. Noch dauerte es aber Jahre, bis Gäste und Touristen die Schönheiten des Winters in den Bergen entdeckten. Dazu trugen der Hotelkomfort und die Erschließung der Alpen durch Bahn und Seilbahn Wesentliches bei. Heute tummeln sich im Winter Hunderttausende ausländischer und einheimischer Gäste auf den unzähligen Skipisten der Berge. Der Schrecken des Winters in den Bergen gehört der Vergangenheit an. Wintersport bedeutet die totale Eroberung der Alpen.

Wer die Schweiz mit dem Zug oder mit dem Auto durchfährt, wer sie mit dem Flugzeug überfliegt oder sie geruhsamer zu Fuß durchwandert, wird es erfahren: Sie gliedert sich natürlicherweise in Jura, Mittelland und Alpen. Wallis, Tessin und Engadin schließen sich als gesonderte Räume an. Das gesamte Gebiet jedoch ist von den Alpen geformt worden. Ihre Gletscher haben Täler ausgehobelt, die zu Seen wurden; ihre Flüsse haben die Landschaft zerfurcht, Gletschermoränen hinterließen bei ihrem Rückzug eine kupierte Landschaft der Hügelzüge. Jede dieser Landschaften hat ihren unverwechselbaren Reiz, ihre eigenen Städte und Dörfer, ihren eigenen Menschenschlag, geformt durch die Natur und die eigene Geschichte.

Das Faltengebirge des Juras schwingt sich von Genf in großem Bogen um das Mittelland bis zum Rhein. Zwischen den Falten liegen langgestreckte Täler mit Städten und Dörfern, deren Straßennetz der Längsrichtung des Tales folgen (La Chaux-de-Fonds, Le Locle). Auf den Jurahöhen dehnen sich Weideflächen mit dunklen Tannengruppen und grasenden Pferden. Klusen, durch die sich Fluß, Straße und Bahn drängen, reißen die Längstäler auf.

Zwischen Jura und Alpen, zwischen Genfer- und Bodensee breitet sich das Mittelland aus, eine vielfältige Landschaft. Flüsse haben sie durchfurcht, einst vorstoßende Gletscher Seebecken ausgehobelt. Dieser Schwemmboden ist das Nährland der Schweiz. Hier dehnen sich Gemüse- und Obstkulturen, Kornfelder und Wiesen. Hier haben sich die großen Städte angesiedelt, die mit ihren Agglomerationen oft wild ins Land hinauswuchern. Große und mittlere Industriebetriebe beschäftigen Hunderttausende. Durch ein dichtes Straßen- und Bahnnetz pulst der Verkehr.

In die Voralpenlandschaft eingegraben ist das Kreuz des Vierwaldstättersees. Es bezeichnet die Urschweiz, Heimat der Schweiz. Hier stehen dichtgedrängt die Zeugen geschichtlicher Vergangenheit: Rütliwiese, Tellskapelle, Altdorf, Stans, die Hohle Gasse, Sempach, Morgarten, Flüeli und Ranft, wo Bruder Klaus wirkte. Alle Schönheiten von Berg und See sind auf kleinstem Raum zusammengerückt. Berühmte Gipfel – Pilatus, Rigi, Stanserhorn, Titlis, Bürgenstock – locken alljährlich Hunderttausende.

So wie Luzern mit Wasserturm und Kapellbrücke, der ältesten Holzbrücke Europas, eröffnet auch Thun ein Panorama weltberühmter Orte, Gipfel und Täler des Berner Oberlandes: Interlaken mit seiner Sicht auf Eiger, Mönch und Jungfrau, Lauterbrunnen mit seinen Staubbachfällen, die Sonnenterrasse Mürren, Wengen, Grindelwald, Brienz, Meiringen.

Beidseitig durch eine Kette von Viertausendern abgeschirmt liegt das Wallis, das Tal der Gegensätze. In den Höhen Eisfelder, die keine Sonne je schmilzt, unten im Talboden ein riesiger Obstgarten mit Aprikosen, Pfirsichen, Birnen und Erdbeeren. Die Weinberge steigen bis 1200 Meter empor und auf 2100 Meter liegen die höchsten Roggenfelder Mitteleuropas. Bei Visp beginnt jenes herrliche Rebgelände, das sich der Rhone und dem Nordufer des Genfersees entlang bis nach Genf hinabzieht.

Das Tessin ist die Sonnenstube der Schweiz. Dorthin treibt es Ungezählte, wenn nördlich der Alpen die Nebel in den Tälern hocken. Dort strahlt ein unwirklich blauer Himmel. Auf allen Hügeln thronen Kirchen und Kapellen, als wären sie aus dem Fels gewachsen. Vom Süden her weht heißer Wind in die Täler. Lugano hat mit zwei Grad über Null das gleiche Januarmittel wie Venedig. In der südlichen Sonne reifen Granaten, Feigen, Mandeln, Pfirsiche, gedeihen Pinien, Oleander und Agave. An den Ufern des Lago Maggiore und des Luganersees reihen sich Dörfer von malerischer Schönheit. Ihre Namen klingen wie die Glocken der Campanili: Ascona, Brissago, Gandria, Castagnola, Morcote ...

Die Schweiz ist eine Welt im Kleinen, eine kleine Welt. Und diese Welt im Kleinen wurde zum modellhaften Maßstab für landschaftliche Schönheit. In rund vierzig Ländern der Erde werden besonders markante Landschaften «Schweiz» genannt. Es gibt die «sächsische Schweiz», die «chilenische Schweiz» und sogar die «finnische Schweiz». Wenn die Schweiz auch in der Mitte, sozusagen im Herzen Europas, liegt und wenn es auch im Jura einen Mühleteich gibt, der sich «Le Milieu du Monde» (Die Mitte der Welt) nennt, auf einer Wasserscheide steht und zu Rhone und Rhein entwässert, fühlt sich der Schweizer keineswegs als Mittelpunkt und Nabel der Welt. Er weiß um die Kleinheit seines Landes und was diese Kleinheit an Vielfalt, Verschiedenheit und Gegensätzen in sich schließt: vier Landessprachen, drei Kulturen, 24 souveräne Kantone, ein Dutzend Parteien, verschiedene Konfessionen und einige Millionen recht eigensinniger Schweizer. Er weiß aber auch, daß all diese Vielfalt in dem eingeschlossen ist, was er Schweiz nennt, beileibe kein homogenes Ganzes, kein Monolith, sondern der entschlossene Wille, aus verschiedenen Völkern, Sprachen, Regionen, Parteien und Konfessionen eine verschworene Gemeinschaft zu bilden: die Eidgenossenschaft.

SOUVENIR DE LA SUISSE

Par Alois Anklin

Pour petit qu'il soit, ce pays blotti au cœur de l'Europe ne renferme pas moins, dans son espace restreint, toutes les beautés de la terre. Au voyageur qui, partant de la basse plaine de Bâle, parcourt la Suisse via Lucerne et le Saint-Gothard, elle offre de ses splendeurs un raccourci saisissant. Après avoir franchi les hauteurs boisées du Jura, il gagne, soit à pied, soit par le rail ou l'autoroute, le charmant et fertile Moyen Pays. Puis, pour que la sauvage rudesse de la haute montagne ne le prenne pas de court, les paysages des Préalpes, mouvementés et émaillés de lacs, le mènent avec précaution jusqu'au pied des massifs enneigés. Mais par delà le Gothard, il verra se dérouler dans l'ordre inverse toutes les variétés du paysage, depuis la haute vallée inhospitalière jusqu'au jardin paradisiaque du Tessin méridional.

Bien sûr, ce que l'on trouve dans ce pays de 41 000 km² se rencontre aussi dans d'autres pays. Il existe des pays où les montagnes sont plus hautes, les lacs plus nombreux et plus grands, le climat plus froid ou plus chaud. Les différents éléments qui font de la Suisse ce qu'elle est ne se rencontrent certes pas partout, mais se rencontrent cependant. Ce qui distingue la Suisse, c'est la réunion de tous ces éléments, de tous ces contrastes sur une superficie réduite. Montagnes et lacs, hauteurs et profondeurs, rudesse et clémence, chaleur et froidure sont étroitement mêlés. Les neiges éternelles coiffant les 16 sommets de plus de 4000 mètres que possède la Suisse saluent le printemps, l'été et l'automne dans les vallées. Que l'on vienne du Nord ou du Sud, la Suisse peut être traversée en trois heures, et de l'intérieur du pays, la frontière peut être atteinte presque partout en une heure et demie. Tout est ici à la portée d'un trajet d'une journée: les palmiers du Tessin, les cimes neigeuses de l'Eiger, du Mönch et de la Jungfrau, les gras pâturages du Moyen Pays, les abrupts coteaux du vignoble valaisan et les paisibles paysages de parcs des Franches Montagnes.

S'il est possible de traverser le pays en quelques heures, on ne saurait par contre le découvrir en aussi peu de temps. Les merveilles naturelles présentent une diversité déconcertante. Aucune des mille vallées n'a sa pareille: il y en a de gigantesques et de très étirées, telles les vallées du Rhin et du Rhône; il y en a qui sont comblées par les glaciers ou sillonnées par les avalanches; il y en a d'animées et d'isolées, de sauvages et d'idylliques. Les lacs ne montrent pas moins de variété: tantôt ils s'étalent mollement, tels le lac de Constance et le lac Léman, tantôt ils pénètrent de force jusqu'au cœur des montagnes, tels le lac des Quatre-Cantons, le lac de Brienz et le Walensee. D'autres encore, comme les lacs de Zurich et de Neuchâtel, s'avancent très loins dans l'actif Moyen Pays. Il est des lacs à rives escarpées et des lacs à rives plates, des lacs de montagnes isolés et d'autres qui sont peuplés sur tout le pourtour. L'eau des montagnes, telle une symphonie richement orchestrée, dégoutte, ruisselle, se précipite, gronde, écume et coule vers le fond des vallées, avant que de fuir, par le Rhin et le Rhône, l'Inn et le Tessin, vers les quatre coins de l'horizon. Mais tout, ici, est à l'échelle de l'homme. La Suisse ne possède pas de sommets de 8000 mètres; le mont Rose et le Cervin – avec respectivement 4634 et 4478 mètres – nous suffisent. On ne trouve pas davantage de cités tentaculaires; Zurich, la ville la plus peuplée, compte moins de 400 000 habitants, mais l'ensemble de l'agglomération environ 700 000. Aucun autre chef-lieu de canton n'atteint le chiffre de 200 000 habitants. Quant aux 3000 communes restantes, elles présentent des dimensions encore bien plus modestes. Seul le tunnel routier du Saint-Gothard – récemment ouvert à la circulation – permet à la Suisse de se targuer d'un record: avec ses 16,2 kilomètres, il est le plus long tunnel routier du monde. La Suisse offre des attraits en toutes saisons. La montagne est encore battue par les tempêtes de l'hiver quand les magnolias fleurissent à Lugano, et les chaleurs de l'été commencent d'accabler le Moyen Pays quand les Alpes revêtent les couleurs du printemps: les crocus et les soldanelles percent à travers un manteau de neige déjà rétréci et les vachers en costumes alpestres colorés mènent leurs troupeaux aux alpages. Une vue claire sur les montagnes, les vendanges et les fêtes des vignerons dans la partie occidentale du pays, des forêts aux reflets dorés, tels sont les éléments qui composent le décor automnal de la Suisse. En hiver enfin, le Jura, les Préalpes et les Alpes offrent aux amateurs d'immenses espaces skiables. Fuyant les brumes dormantes des vallées, d'innombrables vacanciers gagnent ces hauteurs pour y goûter le plein soleil hivernal et la fraîcheur vivifiante de l'air pur. Un réseau dense de voies ferrées, de routes et de lignes postales couvre l'ensemble du pays et dessert même les vallées les plus reculées. A qui n'est pas accoutumé à grimper, les sommets les plus réputés sont accessibles par funiculaire ou par téléphérique. Depuis les maisons au confort modeste jusqu'aux plus modernes hôtels des grands centres touristiques et des stations climatiques, on trouve toutes les nuances d'une pratique raffinée de l'hospitalité.

En tant que pays touristique, la Suisse peut se prévaloir d'une longue histoire. Depuis des siècles, elle constituait un lieu de passage du Nord vers le Sud et du Sud vers le Nord. Bien sûr, ceux qui transitaient ainsi par le pays n'étaient pas encore des touristes, mais des soldats et des marchandes. Les Romains, déjà, passaient par le Grand-Saint-Bernard, le San Bernardino, le Splügen, le Septimer et le Julier. Au moyen âge, les armées et les caravanes de marchands franchissaient le Simplon, le Gothard et le Lukmanier. Ces voyageurs n'avaient guère l'occasion de chanter la beauté des montagnes, car les périls liés au franchissement des Alpes les saisissaient d'effroi. Mais après que Albrecht von Haller, dans un ouvrage de 1732 intitulé «Les Alpes», eut célébré davantage les habitants des Alpes que les montagnes, et que Goethe, des poètes, des écrivains, des dessinateurs et des peintres en route pour le Sud eurent parcouru les Alpes, l'étonnement et la crainte s'estompèrent progressivement. Dans les dessins et les peintures de cette époque, ils restent cependant perceptibles. Les montagnes paraissent démesurées, le monde alpestre passe encore pour menaçant, rebutant, voire funeste. Il est perçu par le regard outrancier de l'imagination plutôt que par les yeux de la raison.

Mais bientôt on ne se contenta plus de vanter le spectacle et l'expérience vécue des montagnes et l'on entreprit de les escalader. Sous la conduite des Britanniques se déclencha alors un vaste mouvement de conquête des sommets, qui ne s'est pas démenti jusqu'à nos jours. Il se passera encore bien des années avant que les touristes ne découvrent les beautés de l'hiver en montagne. Le confort des hôtels et la construction, dans les Alpes, de voies ferrées de haute altitude contribuèrent amplement au développement de cette forme de tourisme. Aujourd'hui, les vacanciers étranges et autochtones s'ébattent par centaines de milliers sur les innombrables pistes de ski qui sillonnent la montagne. La peur de l'hiver en montagne appartient au passé. Les sports d'hiver signifient l'achèvement de la conquête des Alpes.

Quiconque traverse la Suisse en train ou en voiture, quiconque la survole ou la parcourt tranquillement à pied, ne pourra manquer de constater qu'elle se divise naturellement en trois régions: le Jura, le Moyen Pays et les Alpes, auxquelles se rattachent par ailleurs le Valais, le Tessin et l'Engadine. L'ensemble du territoire a toutefois été formé par les Alpes. Leurs glaciers ont creusé des vallées qui sont devenues des lacs; leurs rivières ont ridé la terre, et les moraines abandonnées par les glaciers sont à l'origine d'un paysage de collines tourmenté. Chacune de ces régions exerce un charme particulier, chacune a ses villes et ses villages propres, chacune est habitée par un peuple singulier, formé par la nature et l'histoire locale.

Le plissement jurassien s'étend en arc de cercle tout le long du Moyen Pays, depuis Genève jusqu'au Rhin. Entre les plis, on trouve de longues vallées occupées par des villes et des villages, dont les réseaux routiers suivent l'axe de la vallée (La Chaux-de-Fonds, Le Locle). Sur les hauteurs du Jura, les sombres sapinières alternent avec les herbages où paissent des chevaux. Des cluses où se pressent la rivière, la route et la voie ferrée déchirent les vallées longitudinales.

Entre le Jura et les Alpes, entre le lac Léman et le lac de Constance s'étend le Moyen Pays, une région aux multiples aspects. Les cours d'eau y ont ouvert des sillons, les glaciers y ont creusé des lits, aujourd'hui occupés par des lacs. Ces terrains alluviaux constituent la terre nourricière de la Suisse. On y trouve des cultures de légumes et de fruits, de champs de céréales et des prairies. C'est ici que se sont établies les grandes villes, qui, souvent, empiètent abusivement sur la campagne environnante. De grandes et de moyennes entreprises industrielles emploient des centaines de milliers de travailleurs. Un réseau dense de routes et de voies ferrées dégorge un trafic ininterrompu.

Enchâssée dans les Préalpes, la croix que forme le lac des Quatre-Cantons est le symbole de la Suisse originelle, le berceau de la Suisse en quelque sorte. Tout autour de ce lac, on découvre des traces du passé historique: la prairie du Rütli, la chapelle de Guillaume Tell, Altdorf, Stans, la «Ruelle Creuse» *(Hohle Gasse)*, Sempach, le Morgarten, Flüeli et le Ranft, où œuvrait saint Nicolas de Flue. Toutes les beautés que peuvent offrir les montagnes et les lacs sont réunies dans ce lieu. Des sommets réputés, tels que le Pilate, le Rigi, le Stanserhorn, le Titlis ou le Bürgenstock, attirent chaque année des centaines de milliers de touristes.

De même que Lucerne avec sa Tour de l'Eau *(Wasserturm)* et son Pont-de-la-Chapelle *(Kapellbrücke)* – le plus ancien pont de bois d'Europe –, Thoune s'ouvre sur un panorama mondialement célèbre de cités, de sommets et de vallées de l'Oberland bernois: Interlaken et sa vue sur l'Eiger, le Mönch et la Jungfrau, Lauterbrunnen et ses chutes du Staubbach, Mürren et ses versants ensoleillés, Wengen, Grindelwald, Brienz, Meiringen.

Protégé sur deux côtés par une chaîne de sommets de plus de 4000 mètres, le Valais constitue le pays des contrastes. Sur les hauteurs, des champs de glace dont jamais le soleil ne viendra à bout, dans le fond de la vallée, un immense jardin fruitier donnant des abricots, des pêches, des poires et des fraises à foison. Le vignoble s'élève jusqu'à 1200 mètres d'altitude, et à 2100 mètres, on trouve les champs de

seigle les plus hauts d'Europe centrale. Près de Viège commence ce magnifique vignoble qui s'étend le long du Rhône et de la rive nord du lac Léman jusqu'à Genève. En Suisse, le soleil a fait sa demeure dans le Tessin. Les villégiateurs s'y rendent en foule quand au nord des Alpes, les brumes stagnent dans les vallées. Le ciel, ici, resplendit d'un bleu irréel. Sur chaque colline trône une église ou une chapelle, comme si elles naissaient de la roche même. Un vent chaud souffle du sud dans les vallées. Avec deux degrés au-dessus de zéro, Lugano présente au mois de janvier la même température moyenne que Venise. Sous le soleil du Sud mûrissent les grenades, les figues, les amandes et les pêches, de même que prospèrent les pins, les lauriers-roses et les agaves. Les rives du lac Majeur et du lac de Lugano sont émaillées de villages pittoresques, dont les noms sonnent comme les cloches des campaniles: Ascona, Brissago, Gandria, Castagnola, Morcote…

La Suisse est un monde en miniature, un univers en réduction. Toutes les beautés naturelles du monde se mesurent pourtant à l'étalon de cet univers réduit. Dans près de quarante pays de la terre, des paysages particulièrement marquantes sont qualifiés de «Suisse». Il existe une «Suisse saxonne», une «Suisse chilienne» et même une «Suisse finlandaise». Bien que la Suisse se trouve pour ainsi dire au cœur de l'Europe et bien qu'il y ait, dans le Jura, un étang appelé «Le Milieu du Monde», qui se situe sur une ligne de partage des eaux et se déverse à la fois dans le Rhône et le Rhin, le Suisse ne se considère pas pour autant comme le nombril du monde. Il a conscience de la petitesse de son pays, mais aussi de la multiplicité, de la diversité que cette petitesse embrasse: quatre langues nationales, trois cultures, 24 cantons souverains, une douzaine de partis, différentes confessions et quelques millions de Suisses particulièrement têtus. Mais il sait aussi que toute cette diversité se résout dans cet ensemble qu'il appelle la Suisse: non pas un tout homogène, un monolithe, mais la ferme volonté de réunir des peuples, des langues, des régions, des partis et des confessions différents en une communauté jurée: la Confédération.

MEMORIES OF SWITZERLAND

By Alois Anklin

This country, situated in the heart of Europe, is only small, but within its limited borders, it combines all the beauties of the earth. The traveller who crosses Switzerland from the low-lying region of Basel via Lucerne and the Gotthard pass is offered a fascinating cross-section. From the long, wooded range of the Jura mountains he reaches the pleasant fertile region of the Swiss Plain, either on foot, by rail or by means of the motorway (Autobahn), and so that the awe-inspiring wildness of the high mountains does not take him too much by surprise, the foothills of the Alps with their multitude of lakes accompany him on his way to the snow-capped summits. On the other side of the Gotthard, however, these different types of landscape present themselves to him in the opposite order, the barren high mountain valleys gradually giving way to the paradisian gardens of southern Ticino.

Of course everything in this country of only 41,000 sq km is found in other countries too. There are countries with higher mountains, bigger and more numerous lakes and hotter and colder climates. The particular features that make Switzerland Switzerland do not exist everywhere, but they can be found. What really distinguishes this country is the combination of these contrasting features within such a small area. Mountains and lakes, heights and depths, wildness and gentleness, heat and cold are all found close together. The eternal snow on Switzerland's sixteen mountains over 4,000 metres high welcomes spring, summer and autumn in the valleys. In three hours the country can be crossed from north or south. From Central Switzerland almost any part of the frontier can be reached in an hour and a half. Everything here is within a day's journey: the palm trees of the Ticino, the snow summits of the Eiger, Mönch and Jungfrau, the lush meadows of the Swiss Plain, the steep vineyards of the Valais and the quiet park-like scenery of the Freiberge.

Though the country can be crossed in a few hours, it cannot be fully appreciated in that short time. The beauties of nature crowd together in confusing abundance. No two of the thousand valleys are alike; there are long, wide ones like those of the Rhine and the Rhône, there are glacier-filled ones and those furrowed by avalanches, there are busy populated valleys and lonely, isolated ones, wild valleys and sleepy valleys. Then there are the many-shaped lakes: some spreading themselves out comfortably like Lake Constance and Lake Geneva, others constricted by the mountains like the Lake of Lucerne, the Brienzersee and the Walensee, or, like the Lake of Zurich and the Lake of Neuchâtel, stretching far out into the busy Swiss Plain. There are lakes with steep sides and lakes with flat beaches, lonely mountain lakes and those populated all round. How richly orchestrated is the water as it trickles, tumbles, gushes, foams and roars into the Rhine and Rhône, Inn and Ticino, flowing north, south, east and west into the great oceans. But everything is on a human scale. No 8,000 metre high mountains. The 4,634 metre Monte Rosa and the 4,478 metre Matterhorn are sufficient for us. We have no cities with a million or more inhabitants; Zürich, the largest town, has less than 400,000, though the conurbation contains 700,000. In no other canton does the chief town have more than 200,000 inhabitants. The other 3,000 villages and towns are even more modest in size. Only with the newly-opened St. Gotthard road tunnel can Switzerland boast of any record figure: 16,2 km long, it is the longest road tunnel in the world.

Switzerland has its attractions at all seasons of the year. When the winter storms rage in the mountains, the magnolias are in flower in Lugano and when the heat of summer oppresses the Swiss Plain, spring comes to the Alps. Crocuses and soldanellas break through the shrinking patches of snow and the cowherds take their cattle in colourful procession up to the high pastures for the summer. Clear visibility in the mountains, grape-harvesting, vine-growers' festivals in French Switzerland and golden woods and forests typify the Swiss autumn scene. Finally, in winter, the Jura, Pre-Alps and Alps offer a vast region for skiing. When mist and fog lies in the lowlands, count-less people go up into the heights to enjoy the winter sun and the clear fresh air. A dense network of railways, roads and postbus services extends over the whole country and makes even the remotest valley accessible. Those people who are not used to walking and climbing can reach the most well-known peaks by means of the funiculars and cable-cars. All categories of accommodation are available, from the most modest to the most modern and luxurious such as is found in the biggest resorts and spas.

Switzerland has a long history as a country for travellers. For centuries it was crossed by those journeying from north to south and from south to north. These were not yet tourists, but armies and merchants. The Romans made use of the Great St. Bernhard, the San Bernardino, the Splügen, the Septimer and Julier passes. In The Middle Ages, armies and trading caravans crossed the Simplon, Gotthard and Lukmanier passes. They did not praise the beauty of the mountains; the fear of the crossing was too much on their minds. But since Albrecht von Haller sung the praises of the natures of the Alps more than the moun-tains in his poem, "The Alps" in 1732, and since Goethe and other poets, writers, artists and painters all crossed the Alps on their way south, the fear and dread has diminished. In contemporary drawings and paintings, however, these feelings are still noticeable: the mountains are exaggerated, the Alpine world is still threatening, repellent and harmful. It is seen rather with the intensified vision of the imagina-tion than through the eyes of reality.

First it was just the appearance and personal impressions of the mountains that were praised, then, later, people started to climb them. Under the leadership of the British, the summer assaults of the mountain tops began, and continue up to the present day. It was years, however, before visitors were able to discover the beauty of the mountains in win-ter. Comfortable hotels and the opening up of the moun-tain region by the railway and funicular were essential fac-

tors in making this possible. Today, hundreds of thousands of both foreign and Swiss visitors disport themselves on the countless ski runs every winter. Fear and dread of win-ter in the mountains is a thing of the past. Winter sport has conquered the Alps totally.

The traveller who crosses Switzerland by train or by road as well as the one who flies and the leisurely walker will all notice how the country divides itself naturally into the three regions: Jura, Swiss Plain and Alps. The Valais, the Ti-cino and the Engadine adjoin them as separate areas. However, the whole region has been formed by the Alps. Its glaciers have carved out valleys that became lakes, its rivers have furrowed the landscape and moraines left be-hind by retreating glaciers have formed a broken, rocky terrain. Each of these kinds of landscape has its own special charm, its own distinctive towns and villages and its own breed of men, formed by nature and its own history.

The folds of the Jura mountains swing round the Swiss Plain in a wide arc from Geneva to the Rhine. Between these folds there are long valleys with towns and villages whose roads follow the direction of the valley (La Chaux-de-Fonds and Le Locle). Pastures with dark groups of co-nifers and grazing horses extend over the hills of the Jura. Gorges through which rivers, roads and railways push their way, split up the valleys.

The variegated landscape of the Swiss Plain lies between the Jura and the Alps and Lake Geneva and Lake Constance. Rivers have furrowed it and advancing glaciers have carved out lake basins. This alluvial land is the fertile region of Switzerland. Vegetables and fruit are grown and corn-fields and pasture-land extend over a wide area. Here the big towns are to be found, their suburbs often reaching far out into the coutryside. Large and medium-sized industrial companies occupy hundreds of thousands of people and the traffic pulses ceaselessly through the dense network of roads and railways.

Buried in the landscape of the Pre-Alps is the cross-shaped Vierwaldstättersee (Lake of Lucerne), symbol of early Switzerland. Here, all quite close to each other, are those places that have witnessed events in Switzerland's past: the Rütli field, the shrine of William Tell, Altdorf, Stans, the Hohle Gasse, Sempach, Morgarten, Flüeli and the Ranft, where Bruder Klaus had his hermitage. All the beauty of mountain and lake is compressed into this small area. Famous peaks, Pilatus, Rigi, Stanserhorn, Titlis and Bürgenstock draw hundreds of thousands of visitors every year.

Lucerne is well-known for its *Wasserturm* (Water Tower) and *Kapellbrücke* (Chapel Bridge), the oldest wooden bridge in Europe. Thun is the gateway to world-famous places, mountain peaks and valleys in the Bernese Oberland: Interlaken, with its view of the Eiger, Mönch and Jungfrau, Lauterbrunnen with its Staubbach Falls, Mürren, the "sun terrace", Wengen, Grindelwald, Brienz and Meiringen.

Sheltered on both sides by a chain of mountains over 4,000 metres high, lies the Valais, the valley of extremes. Up in the heights, there are glaciers that the sun never melts and down in the valley vast orchards or apricots, peaches, pears and strawberries. The vineyards climb to 1,200 metres and at 2,100 metres there are the highest rye fields in Central Europe. Near Visp is the beginning of the lovely grape-growing region that stretches along the Rhône and round the north side of Lac Leman as far as Geneva.

The Ticino is the sun-parlour of Switzerland, with an almost unreal blue sky overhead. When fogs fill the valleys north of the Alps, people stream in in their thousands. On every hilltop a church or chapel is enthroned as if it had grown out of the rock. A warm wind blows into the valleys from the south. The average January temperature, 2° C, is the same as that of Venice. Pomegranates, figs, almonds and peaches ripen in the southern sun and the oleander, agave and stone pine flourish. On the sides of Lake Maggiore and Lake Lugano picturesque villages are ranged, their names sounding like campanile bells: Ascona, Brissago, Gandria, Castagnola, Morcote ...

Switzerland is a world in miniature, a miniature world. This world in miniature has become a model for scenic beauty. In about forty countries of the world, especially striking landscape is called "Switzerland". There is a Saxon Switzerland, a Chilean Switzerland and even a Finnish Switzerland. Even though Switzerland lies in the centre of Europe, in the heart of Europe, so to speak, and even though there is a mill-pond in the Jura that calls itself "Le Milieu du Monde" (the centre of the world) and which is on a watershed supplying both the Rhône and the Rhine, a Swiss citizen certainly does not see himself as being at the central point of the world. He knows how small his country is and what variety, differences and contrasts there are in it: four languages, three cultural traditions, 24 independent cantons, a dozen political parties, various religions and several million self-willed Swiss. But he is also aware that this diversity is part of what he knows as Switzerland, by no means a homogeneous whole, no monolith, but the results of a conscious decision of people of different regions, languages, religions and political parties to form a brotherhood: the Swiss Confederation.

DIE SCHWEIZER KANTONSWAPPEN
LES ARMES CANTONALES DE LA SUISSE
SWISS CANTONAL ARMS

1 Zürich/Zurich, 2 Bern/Berne, 3 Luzern/Lucerne
4 Uri, 5 Schwyz, 6 Obwalden/Obwald
7 Nidwalden/Nidwald, 8 Glarus/Glaris, 9 Zug/Zoug, 10 Freiburg/Fribourg
11 Solothurn/Soleure
12 Basel-Stadt/Bâle-Ville, 13 Basel-Land/Bâle-Campagne
14 Schaffhausen/Schaffhouse
15 Appenzell Außerrhoden/Appenzell Rhodes-Extérieures/Appenzell Ausser Rhoden
16 Appenzell Innerrhoden/Appenzell Rhodes-Intérieures/Appenzell Inner Rhoden
17 St. Gallen/St-Gall/St. Gall, 18 Graubünden/Grisons
19 Aargau/Argovie, 20 Thurgau/Thurgovie
21 Tessin/Ticino, 22 Waadt/Vaud, 23 Wallis/Valais
24 Neuenburg/Neuchâtel, 25 Genf/Genève/Geneva, 26 Jura

UR

Kanton Uri   Canton d'Uri   Canton of Uri

Die Seen auf dem Gotthardpaß, dem klassischen Alpenübergang (2109 m), über den seit Jahrhunderten ganze Völker und Heere zogen. Die Seenmulden wurden von den Gletschern ausgeschliffen. In der Bildmitte das Gotthardhospiz, dahinter die alte, kurvenreiche Gotthardstraße der Tremola. Rechts am Hang die neue Umfahrung der Tremola mit Galerie und Tunnel.

Les lacs du col du Saint-Gothard. Des siècles durant, ce passage alpin classique (2109 m) fut franchi par les peuples et les armées. Les lacs occupent des dépressions creusées par les glaciers. Au centre de l'image, l'hospice du Saint-Gothard; derrière, l'ancienne et sinueuse route de la Tremola. A droite, accrochée au flanc de la montagne, la nouvelle route contournant la Tremola, avec sa galerie es ses tunnels.

Lakes on the Gotthard pass (2,109 metres), the classic passage over the Alps, crossed for centuries by whole armies and peoples. The lake basins have been ground out by glaciers. In the centre of the picture is the Gotthard hostel, behind is the old winding Gotthard road, the Tremola. On the right slope, the new Tremola route with galleries and tunnels.

Photo: Swissair

SZ

Kanton Schwyz   Canton de Schwyz   Canton of Schwyz

Blick vom Seelisberg auf die Rütliwiese im Vordergrund, auf den Urnersee, die Terrasse von Morschach und die beiden Mythen im Hintergrund. Historische Landschaft im Herzen der Schweiz. Auf der Rütliwiese wurde 1291 der Bund der Eidgenossen beschworen. Sie gehört seit 1860 durch Kauf der schweizerischen Schuljugend.

Vue de Seelisberg sur la prairie du Rütli (au premier plan), le lac d'Uri, la terrasse de Morschach et les deux Mythes (à l'arrière-plan). Paysages historiques au cœur de la Suisse. C'est sur la prairie du Rütli que fut conclu le pacte d'alliance entre les confédérés (1291). Achetée en 1860, elle appartient depuis lors à la jeunesse des écoles suisses.

View from Seelisberg of the Rütli field (foreground), the Urnersee, the terrace of Morschach and the two Mythen in the background. Historic landscape in the heart of Switzerland. In 1291, the Rütli field was the scene of the oath of alliance which formed the beginning of the present state. In 1860, it was bought for the use of Swiss schoolchildren.

Photo: Othmar Baumli

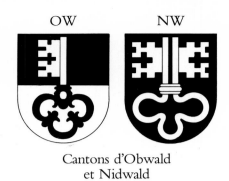

OW   NW

| Kantone Obwalden und Nidwalden | Cantons d'Obwald et Nidwald | Cantons of Obwalden and Nidwalden |

Blick vom Pilatus auf die Schwemmebene der Engelbergeraa, durchquert vom weißen Band der Autobahn N2. Im Vordergrund der Alpnachersee mit Stansstad (links), in der Bildmitte rechts Stans am Fuß des Buochserhorns. Den Horizont schließen die verschneiten Glarneralpen.

Vue du Pilate sur la plaine alluviale de l'Engelbergeraa, traversée par le blanc ruban de l'autoroute N2. Au premier plan, le lac d'Alpnach avec Stansstad (à gauche); au centre de l'image, la ville de Stans, au pied du Buochserhorn. Les cimes enneigées des Alpes de Glaris ferment l'horizon.

View from Mount Pilatus of the alluvial plain of the Engelberg Aa crossed by the white strip of the Autobahn N2. In the foreground, the Alpnachersee with Stansstad (left), and, centre, Stans at the foot of the Buochserhorn. On the horizon, the snow-covered Glarner Alps can be seen.

Photo: C. Blättler

LU

Kanton Luzern   Canton de Lucerne   Canton of Lucerne

Seenachtfest mit großem Feuerwerk in Luzern. Im Licht aufsteigender Fontänen erglüht die Altstadt wie von innen her. Nicht nur in vielen ihrer weltlichen und kirchlichen Bauten verrät die Stadt südlichen Einfluß, er wird auch spürbar in der südlichen Lässigkeit des Luzerners. Er arbeitet nicht ungern, aber lieber noch feiert er Feste: Fasnacht, Altstadtfest, Seenachtfest, Musikfestwochen und was sonst der Kalender an Festlichem bringt.

Les feux d'artifice du *Seenachtfest,* à Lucerne. A la lumière des fontaines jaillissantes, la vieille ville semble rougeoyer de l'intérieur. La ville trahit une influence méridionale, non seulement dans nombre de ses édifices profanes et religieux, mais aussi dans la nonchalance méridionale de ses habitants. Ce n'est pas que le travail leur fasse peur, mais ils préfèrent néanmoins célébrer des fêtes: carnaval, Fête de la vieille ville, *Seenachtfest,* Semaines musicales et toutes les festivités prévues par le calendrier.

The giant fireworks of the Lucerne *Seenachtfest,* the festive summer firework display on the lake. The centre of the old town glows in the light of the soaring fountains. The town shows some southern influence not only in many of its secular and ecclesiastical buildings, but also in a certain easy-going quality in its people. A Lucerne citizen does not dislike work, but he enjoys his festive occasions more: the carnival, old town festival, summer firework display, the International Festival of Music and other annual celebrations.

Photo: Othmar Baumli

ZH

Kanton Zürich   Canton de Zurich   Canton of Zurich

Die Doppeltürme des Großmünsters wachen über Zürich, der volksreichsten Stadt der Schweiz. Hier sind Macht und Wohlstand wie in keiner anderen Schweizer Stadt konzentriert. Obwohl Zürich nicht einmal eine halbe Million Einwohner zählt, gibt es sich mit seinen Banken, Börsen und stattlichen Zunfthäusern, mit seiner Universität und seiner Eidgenössischen Technischen Hochschule den Glanz einer Großstadt.

Les tours jumelées du *Grossmünster* veillent sur Zurich, la ville la plus peuplée de Suisse. Le pouvoir et l'opulence sont ici plus concentrés que dans aucune autre ville suisse. Avec ses banques, ses Bourses et ses magnifiques maisons des corporations, avec son université et son école polytechnique fédérale, Zurich fait figure de grande métropole, bien que ne comptant pas même un demi-million d'habitants.

The twin towers of the *Grossmünster* (Cathedral) keep watch over Zürich, the most densely populated town in Switzerland. Power and prosperity are concentrated here as in no other Swiss town. Though Zürich has less than half a million inhabitants, its banks, stock exchanges and guildhalls, together with its university and Federal Institute of Technology, give it the air of a great city.

Photo: Valdemar Salomon

ZG

Kanton Zug   Canton de Zoug   Canton of Zug

Zauberhafte Stadt Zug im Winterkleid. Inmitten der geschlossenen Altstadt die Kirche St. Oswald. Sie gilt nach dem Berner Münster als die schmuckvollste spätgotische Kirche der Schweiz. Der Winter dämpft die Aufdringlichkeit weniger schöner Zutaten der Neuzeit am Rande der Stadt.

La merveilleuse ville de Zoug sous la neige. Les maisons de la vieille ville se pressent autour de l'église Saint-Oswald, qui passe, après la cathédrale de Berne, pour le plus bel édifice du gothique tardif suisse. L'hiver atténue quelque peu l'aspect déplaisant de certaines constructions modernes, édifiées à la périphérie de la ville.

The town of Zug in magical winter dress. In the centre of the enclosed old town is the church of St. Oswald which, after the Berne *Münster,* is considered the most ornamental Late Gothic church in Switzerland. The effect of winter subdues the less attractive modern additions to the outer regions of the town.

Photo: Fred Wirz

Kanton Glarus   Canton de Glaris   Canton of Glarus

Einer der Muttseen auf der Muttenalp am Kistenpaß, der vom Linthal nach Breil führt. Der See an den Steilhängen der Ruchikette liegt 2446 m über Meer. In riesigen Schuttkegeln sammelt sich das erodierte und verwitterte Gestein am Fuße des Berges. Kein Baum und kein Strauch belebt diese einsame Landschaft. Das Wasser des ursprünglich abflußlosen Sees wird heute in einem Stollen zum Limmern-Stausee geleitet.

L'un des Muttseen, sur la Muttenalp, à proximité du col de Kisten, qui mène de Linthal à Breil. Enserré dans les escarpements de la chaîne de Ruchi, le lac se situe à 2446 m d'altitude. Les roches érodées par les intempéries forment de gigantesques éboulis au pied de la montagne. Pas un arbre, pas un buisson n'anime ce paysage solitaire. L'eau de ce lac naguère dépourvu de déversoir s'écoule aujourd'hui, par une conduite, dans le lac artificiel de Limmern.

One of the Muttseen on the Muttenalp on the Kisten pass which leads from Linthal to Breil. The lake on the steep slope of the Ruchi chain is 2,446 metres above sea level. The eroded and weathered rocks collect in enormous mounds at the foot of the mountain. Neither trees nor bushes enliven this lonely scenery. Water from this lake, which formerly had no outlet, is now piped underground to the Limmern reservoir.

Photo: Wild

Kanton Solothurn   Canton de Soleure   Canton of Solothurn

Die St. Ursen-Kathedrale mit ihrer monumentalen Fassade dominiert die Brük-
kenstadt Solothurn. Sie ist Sitz des Bischofs von Basel. Von 1530 bis 1792 resi-
dierte der französische Botschafter in Solothurn. Von daher stammt die Bezeich-
nung Ambassadorenstadt. Der französische Einfluß im Stadtbild ist noch heute
deutlich spürbar.

La cathédrale Saint-Ours, avec sa façade monumentale, domine Soleure, la ville
des ponts. Elle est le siège de l'évêque de Bâle. L'ambassadeur de France résida
à Soleure de 1530 à 1792. C'est de là que provient la qualification de «ville des
ambassadeurs». Le paysage urbain trahit une influence française évidente.

The cathedral of St. Ursus with its monumental façade dominates Solothurn,
"the town of the bridges". This town is the seat of the Bishops of Basel. From
1530 to 1792, the French ambassador resided here and it is from this time that
the name "ambassadors' town" comes. The appearance of Solothurn also shows
unmistakable French influence.

Photo: Fred Wirz

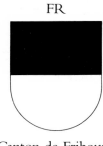

Kanton Freiburg   Canton de Fribourg   Canton of Fribourg

Das Schloß Greyerz mit dem gleichnamigen Hügelstädtchen liegt in reizvoller Landschaft mit dem Moléson im Hintergrund. Das Schloß ist heute Museum. Das befestigte Städtchen mit seinen spätgotischen Hausfassaden zieht alljährlich Hunderttausende aus aller Welt an.

Dominée par son château, la petite cité montueuse de Gruyères se situe dans un charmant paysage borné par le Moléson. Le château abrite aujourd'hui un musée. Cette ville fortifiée, avec ses façades de style gothique tardif, attire chaque année des centaines de milliers de touristes venus du monde entier.

Gruyères Castle with the small hill town of the same name in charming scenery, with the Moléson in the background. Today the castle is a museum. This little fortified town with its Late Gothic house façades attracts thousands of people from all over the world every year.

Photo: Giegel / Schweiz. Verkehrszentrale

BS BL

Kantone Basel-Stadt
und Basel-Land

Cantons de Bâle-Ville
et Bâle-Campagne

Cantons of Basel-Town
and Basel-Land

In Basel am Rheinknie wendet sich der Rhein, natürliche Grenze für die Ost-
und Nordschweiz (Schaffhausen ausgenommen), endgültig dem Norden zu.
Durch das «Goldene Tor der Schweiz» strömt per Bahn und Autobahn der
größte Teil des Fremdenverkehrs und per Wasser ein Fünftel des schweizerischen Außenhandels. Basel: Stadt der Brücken, Stadt der Messen, Stadt der Che-
mie und Sitz des Basler Geistes. Links: Das Spalentor.

A Bâle, le Rhin – frontière naturelle de la Suisse de l'Est et du Nord (à l'excep-
tion de Schaffhouse) – décrit un coude pour se diriger définitivement vers le
Nord. La majeure partie des touristes (par le train et l'autoroute) et un cinquième
du commerce extérieur suisse (par le fleuve) transitent par la «Porte d'or de la
Suisse». Bâle: ville des ponts, ville des foires, capitale de l'industrie chimique et
siège du génie bâlois. A gauche: La Porte Spalen.

Basel on the bend in the Rhine where it turns northwards forming a natural
border for north and east Switzerland, except for Schaffhausen. Through this
"Golden Gate of Switzerland" streams the greater part of the tourist traffic by
rail and Autobahn and a fifth of all Swiss imports by water. Basel is a town of
bridges, a town of trade fairs, a town of chemicals and the heart of the Basel
spirit. Left: The Spalen Gate.

Photo: Comet

Kanton Schaffhausen   Canton de Schaffhouse   Canton of Schaffhausen

Der Rheinfall bei Schaffhausen, der größte Wasserfall Mitteleuropas. Die Wasser des Rheins stürzen hier über eine 24 m hohe Kalksteinstufe. Ein Felssporn in der Mitte teilt die Stufe in den Schaffhauserfall und den Zürcherfall. Das Schauspiel der schäumenden und tosenden Wasser ist von unzähligen Dichtern und Schriftstellern besungen und beschrieben worden. Rechts hoch über dem Rheinfall das Schloß Laufen, einst Eigentum des Bistums von Konstanz, dann in wechselndem Besitz. Seit 1941 gehört es dem Kanton Zürich, der dort eine Jugendherberge und einen Hotelneubau errichtete.

Les chutes du Rhin, à Schaffhouse, constituent la plus grande cascade d'Europe centrale. Les eaux du Rhin se précipitent du haut d'un escarpement calcaire de 24 m. L'éperon rocheux qui se dresse au milieu du cours sépare la chute de Schaffhouse de la chute de Zurich. Le spectacle que présentent les eaux écumantes et grondantes a été chanté et décrit par d'innombrables poètes et écrivains. A droite, dominant les chutes du Rhin, le château de Laufen. Après avoir appartenu à l'évêché de Constance, puis à différents propriétaires, il revint en 1941 au canton de Zurich, qui y édifia une auberge de jeunesse et un hôtel.

The Rhine Falls near Schaffhausen, the largest waterfall in Central Europe. Here, the water of the Rhine roars over a 24 metre high limestone ledge. A spur of rock in the middle divides the ledge into the Schaffhausen Falls and the Zürich Falls. The spectacle of the foaming, roaring water has been described and praised by countless poets and writers. On the right, high above the Rhine Falls is Schloss Laufen. The castle was once the property of the Bishopric of Constance and afterwards had various owners. Since 1941 it has belonged to the Canton of Zürich and is now a youth hostel and modern hotel.

Photo: Schweiz. Verkehrszentrale

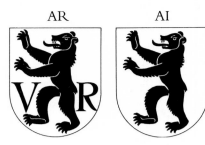

AR   AI

Kantone Appenzell   Cantons d'Appenzell   Cantons of Appenzell
Außerrhoden   Rhodes-Extérieures   Ausser Rhoden
und Innerrhoden   et Rhodes-Intérieures   and Inner Rhoden

Aus dem grünen Appenzeller Vorland aufsteigend das Säntis-Massiv (2501 m) mit dem Sämtisersee (links) und dem Seealpsee (rechts). Wälder und Alpweiden verhüllen den komplizierten Bau dieses Faltengebirges.

Le massiv du Säntis (2501 m) s'élève à la limite du verdoyant canton d'Appenzell; à gauche, on voit le Sämtisersee, et à droite, le Seealpsee. Forêts et alpages dissimulent la complexe structure de ce plissement.

Rising from the green lowlands of Appenzell is the Säntis massif (2,501 metres), with the Sämtisersee (left) and the Seealpsee (right). Woods and meadows conceal the complicated structure of these fold mountains.

Photo: Swissair

Kanton Bern   Canton de Berne   Canton of Berne

Über Kandersteg liegt, wie ein Edelstein ins Gebirge eingelassen, 1578 m hoch der Oeschinensee, umgeben von der Blümlisalpgruppe und dem Doldenhorn. Von ihren Gletschern rauschen Wasserfälle in die Tiefe. Der See entstand durch einen gewaltigen Felssturz am Doldenhorn. Er fließt unterirdisch durch den Oeschinenbach ab.

Serti dans la montagne telle une pierre précieuse, le lac d'Oeschinen se situe à 1578 m d'altitude au-dessus de Kandersteg et est encadré par les sommets de la Blümlisalp et par le Doldenhorn. De leurs glaciers s'échappent des cascades qui se précipitent dans l'abîme en grondant. Le lac s'est formé par suite d'un éboulement sur le flanc du Doldenhorn. Il s'écoule par une rivière souterraine, l'Oeschinenbach.

Like a jewel set in the mountains above Kandersteg lies the 1,578 metre high Lake Oeschinen, surrounded by the Blümlisalp group and the Doldenhorn. Waterfalls cascade from their glaciers. The lake was formed by a fall of rock from the Doldenhorn. Its outlet is the underground Oeschinenbach.

Photo: Swissair

VD

LIBERTÉ ET PATRIE

Kanton Waadt   Canton de Vaud   Canton of Vaud

Rivaz am Genfersee. Von der Mündung der Rhone in den Genfersee bis über Genf hinaus erstreckt sich das unvergleichliche Rebgelände, das von der doppelten Sonne des Himmels und des Sees bestrahlt und erwärmt wird.

Rivaz, sur le lac Léman. Depuis l'endroit où le Rhône se jette dans le lac Léman jusqu'au delà de Genève s'étend un vignoble incomparable, exposé au double rayonnement du ciel et du lac.

Rivaz on Lake Geneva. Extending from the mouth of the Rhône in Lake Geneva to beyond Geneva itself is the incomparable grape-growing region, doubly warmed by sun and lake.

Photo: Michael Wolgensinger

AG

Kanton Aargau   Canton d'Argovie   Canton of Aargau

Die einst freie Reichsstadt Bremgarten in der Reußschleife, eine Gründung der Habsburger, hat ihren mittelalterlichen Charakter zu wahren gewußt. Markante Bauten, Stadtkirche, Spittelturm und Muri-Amtshof, dominieren die Oberstadt, die alte gedeckte Holzbrücke die Unterstadt.

Située dans une boucle de la Reuss, l'ancienne ville impériale de Bremgarten a été fondée par les Habsbourg et a su préserver son caractère moyenâgeux. Des édifices remarquables, l'église, la Tour Spittel et la cour administrative de Muri surplombent la ville haute, le vieux pont de bois couvert dominant la ville basse.

The former free Imperial city of Bremgarten, founded by the Habsburgs and situated on a bend in the Reuss, has kept its medieval character. The upper town is dominated by striking buildings, Parish Church, Spittel Tower and the Muri Amtshof, the lower town by the old covered wooden bridge.

Photo: Fred Wirz

Kanton Graubünden   Canton des Grisons   Canton of Grisons

Soglio im Bergell. Der Maler Segantini nannte das hochgelegene (1097 m), malerische Dorf auf der Sonnenterrasse «Schwelle des Paradieses». Seine Salis-Paläste, repräsentative Bauten italienischen Gepräges, sind Zeugen einer bedeutungsvollen Vergangenheit.

Soglio, dans la vallée de Bergell. Le peintre Segantini qualifiait ce village pittoresque, haut perché sur une terrasse ensoleillée (1097 m), de «seuil du paradis». Les palais de la famille Salis, tout empreints d'élégance italienne, sont les témoins d'un passé prestigieux.

Soglio in the Bergell Valley. The painter Segantini called this picturesque high-lying village on the sun terrace (1,097 metres) "the threshold of paradise". His impressive Italianate Salis palaces bear witness to Soglio's past importance.

Photo: Gerhard Klammet

Kanton St. Gallen   Canton de St-Gall   Canton of St. Gall

Die Stiftskirche St. Gallen, der schönste Barockbau der Schweiz. Sie wurde in der zweiten Hälfte des 18. Jahrhunderts gebaut. Die Klosteranlage jedoch kann auf eine 1200jährige Geschichte zurückblicken. Das Benediktinerkloster war in seiner Frühzeit Brennpunkt abendländischer Wissenschaft und Kultur. Die prachtvolle barocke Stiftsbibliothek birgt eine Sammlung kostbarster Handschriften und Elfenbeinarbeiten.

———

La cathédrale de Saint-Gall, chef-d'œuvre de l'architecture baroque en Suisse, fut construite dans la 2e moitié du XVIIIe siècle. L'abbaye bénédictine fut fondée voilà 1200 ans et devint très vite un important foyer de la science et de la culture occidentales. La somptueuse bibliothèque baroque renferme des manuscrits et des ivoires inestimables.

———

The *Stiftskirche* (Collegiate Church) of St. Gall, the most beautiful Baroque building in Switzerland. It was built in the second half of the 18th century. The monastery, however, looks back on a history of 1,200 years. In its early days, this Benedictine monastery was the focal point of occidental science and culture. The magnificent Baroque monastery library contains valuable manuscripts and ivories.

Photo: Fred Wirz

Kanton Thurgau   Canton de Thurgovie   Canton of Thurgau

Schloß Arenenberg, Exilsitz der Familie Louis Napoléons. Prinz Louis, der spä-
tere Kaiser Napoléon III, wurde hier erzogen und bewohnte das Schloß bis
1837. 1905 kam es durch Schenkung an den Kt. Thurgau. Heute ist es Napoléon-
Gedenkstätte. In den Nebengebäuden befindet sich die Landwirtschaftliche
Schule des Kt. Thurgau.

Le château d'Arenenberg fut la résidence d'exil de la famille de Louis Napoléon.
Le prince Louis – le futur empereur Napoléon III – fut élevé au château el
l'habita jusqu'en 1837. En 1905, il revint à titre de don au canton de Thurgovie.
Le château est aujourd'hui un mémorial de Napoléon. Les bâtiments annexes ab-
ritent l'école d'agriculture du canton de Thurgovie.

Arenenberg Castle, home of the family of Louis Napoleon when in exile. Prince Louis, later to become Emperor Napoleon III, was brought up here and lived
in the castle until 1837. In 1905 it was given to the canton of Thurgau. Today
it is a memorial to Napoleon. The adjacent building is the Thurgau School of
Agriculture.

Photo: Fred Wirz

TI

Kanton Tessin   Canton du Tessin   Canton of Ticino

In Brissago am Lago Maggiore entfaltet sich das südliche Klima in hohen Fächerpalmen, in Orangen- und Zitronenbäumen und üppiger Blütenpracht. Das abseits städtischen Lärms liegende Dorf war während zwei Jahrhunderten eine kleine selbständige Republik. Berühmt ist Brissago nicht nur wegen der Tabakfabrik, die die weltbekannten Brissagos herstellt; aus Brissago stammen auch bekannte Künstler und Architekten wie etwa Antonio Bazzi, der Lehrer Raffaels und Pinturicchios.

A Brissago, sur le lac Majeur, le climat méridional suscite une flore luxuriante, composée de hauts palmiers, d'orangers, de citronniers et de fleurs enchanteresses. Deux siècles durant, ce village situé à l'écart du tumulte des villes fut une petite république indépendante. Brissago n'est pas célèbre seulement par sa manufacture de tabac, où sont produits les fameux «brissagos»; le village est aussi le lieu de naissance d'artistes et d'architecter connus, tel Antonio Bazzi, le maître de Raphaël et du Pinturicchio.

In Brissago on Lago Maggiore, the southern climate brings forth towering fan-palms, orange and lemon trees and lush, luxuriant vegetation and flowers. For two hundred years, this village situated far from the city turmoil was a small independent republic. Brissago is famous not only for its tobacco factory which manufactures the world-famous Brissago cigars: it is also the birthplace of renowned artists and architects such as Antonio Bazzi, the teacher of Raphael and Pinturicchio.

Kanton Genf   Canton de Genève   Canton of Geneva

Genf mit dem 100 Meter hoch steigenden Jet d'eau und der Rousseau-Insel in der Bildmitte ist Sitz vieler internationaler Institutionen und Konferenzort von weltpolitischer Bedeutung.

———————

Le jet d'eau de Genève s'élève à 100 m au-dessus du lac; au centre de l'image, l'île Rousseau. La ville est le siège de plusieurs institutions internationales et le lieu de rencontres politiques d'importance mondiale.

———————

Geneva, with its 100 metre high *jet d'eau* and Rousseau island (in the centre of the picture), is the seat of many international institutions and a conference centre of the greatest importance in world politics.

Photo: Swissair

NE

Kanton Neuenburg   Canton de Neuchâtel   Canton of Neuchâtel

Stiftskirche und Schloß dominieren die Altstadt von Neuenburg. Sie leuchtet im gelben Kalkstein der Gegend. Von der Altstadt her wuchs die Stadt längs des Sees und den Hang hinauf in die Rebberge hinein. Die Stadt ist reich an Schulen, Instituten, Pensionaten, Museen, Anlagen und Gärten. Die Schweizer Uhren gehen nach der Zeit des Observatoriums von Neuenburg.

———————————

La collégiale et le château dominent la vieille ville de Neuchâtel, resplendissante du calcaire jaune de la région. La ville s'est étendue le long des rives du lac et s'étage sur les pentes jusqu'au cœur du vignoble. La cité est riche en écoles, en instituts, en pensionnats, en musées, en parcs et en jardins. Les horloges suisses sont réglées sur le temps de l'observatoire de Neuchâtel.

———————————

The *Collégiale* and *Château* (Collegiate Church and Castle) dominate the old part of Neuchâtel, an area of glowing yellow limestone. From the old centre the town spreads along the lakeside and up into the vine-clad hills. It has many schools, institutes, girls' finishing schools, museums, parks and gardens. The observatory of Neuchâtel sets the time for all the clocks in Switzerland.

Photo: Office du Tourisme de Neuchâtel et Environs (ADEN)

Kanton Wallis   Canton du Valais   Canton of Valais

Der Konkordiaplatz auf dem Aletschfirn inmitten von Viertausendern. Verschiedene Firne vereinigen sich hier zum großen Aletschgletscher, der sich 24 km weit bis an die Riederalp hinunter erstreckt. Links das Finsteraarhorn (4274 m), rechts das Dreieckhorn (3810 m), etwas links von der Bildmitte die Grünhornlücke (3289 m).

La place de la Concorde, sur le névé d'Aletsch, est entourée de sommets de 4000 m. Plusieurs névés s'unissent ici pour former le grand glacier d'Aletsch, qui s'étend sur 24 km, jusqu'à la Riederalp. A gauche, le Finsteraarhorn (4274 m); à droite, le Dreieckhorn (3810 m); à gauche du centre de l'image, le passage du Grünhornlücke (3289 m).

The Konkordiaplatz on the perpetual snow of the Aletsch glacier amidst mountains ranging from 4,000 metres in height. Various areas of perpetual snow combine here to form the Aletsch glacier, which extends for 24 km down to Riederalp. Left, the Finsteraarhorn (4,274 metres), right, the Dreieckhorn (3,810 metres), centre left, the Grünhornlücke (3,289 metres).

Photo: Willi Burkhardt

JU

Kanton Jura   Canton du Jura   Canton of Jura

Die Freiberge sind das Hochland auf rund 1000 m Höhe des neuen Kanton Jura, das vom Mont Soleil bis an den Doubs und vom Kanton Neuenburg bis nach St. Brais reicht. Eine klassische Parklandschaft mit von dunklen Wäldern eingerahmten Weiden, auf denen sich Pferde- und Viehherden tummeln. Eine Landschaft mit langem, hartem Winter, aber auch viel Sonne.

Les Franches Montagnes sont les hautes terres (1000 m environ) du nouveau canton du Jura, qui s'étend depuis le mont Soleil jusqu'au Doubs et depuis le canton de Neuchâtel jusqu'à Saint-Brais. Elles composent un paysage de parcs classique, caractérisé par de sombres forêts encadrant des prairies où paissent des troupeaux de chevaux et de bovins. Les hivers y sont longs et rudes, mais elles reçoivent aussi beaucoup de soleil.

The Freiberge, approximately 1,000 metres high, are the highlands of the new canton Jura that extend from Mont Soleil to the Doubs and from canton Neuchâtel to St. Brais. Classical park-like scenery with horses and cattle grazing in pastures framed by dark woods. A region with long, hard winters, but plenty of sunshine too.

Photo: Fred Wirz

BILDVERZEICHNIS
TABLE DES ILLUSTRATIONS
INDEX OF ILLUSTRATIONS